O SUCESSO COMEÇA NA MENTE

OS CINCO PRINCÍPIOS ESSENCIAIS
DE NAPOLEON HILL

Título original: *The 5 Essencial Principles of Think & Grow Rich*

Copyright © 2018 by Napoleon Hill / The Napoleon Hill Foundation

Os cincos princípios essenciais de Napoleon Hill
1ª edição: Outubro 2022

Direitos reservados desta edição: CDG Edições e Publicações

O conteúdo desta obra é de total responsabilidade do autor e não reflete necessariamente a opinião da editora.

Autor:
Napoleon Hill
Fundação Napoleon Hill

Tradução:
Adriana Krainski

Preparação de texto:
3GB Consulting

Revisão:
Daniela Georgeto / Equipe Citadel

Projeto gráfico e capa:
Jéssica Wendy

DADOS INTERNACIONAIS DE CATALOGAÇÃO NA PUBLICAÇÃO (CIP)

Hill, Napoleon.
  Os cinco princípios essenciais de Napoleon Hill / Napoleon Hill ; tradução de Adriana Krainski. — Porto Alegre : Citadel, 2022.
144p.; il., color.

ISBN: 978-65-5047-187-3
Título original: The 5 Essential Principles of Think & Grow Rich

1. Autoajuda 2. Sucesso 3. Desenvolvimento pessoal I. Título II. Krainski, Adriana

22-5392   CDD - 158.1

Angélica Ilacqua - Bibliotecária - CRB-8/7057

Produção editorial e distribuição:

contato@citadel.com.br
www.citadel.com.br

NAPOLEON HILL

O SUCESSO COMEÇA NA MENTE
OS CINCO PRINCÍPIOS ESSENCIAIS
DE NAPOLEON HILL

Tradução:
Adriana Krainski

2022

ORGANIZADO AO LONGO
DE 80 ANOS DE PESQUISAS,
TREINAMENTOS E RESULTADOS
INCONTESTÁVEIS

SUMÁRIO

PREFÁCIO	9
INTRODUÇÃO	17

CAPÍTULO 1 - DESEJO — 20

CAPÍTULO 2 - IMAGINAÇÃO — 44

CAPÍTULO 3 - PERSISTÊNCIA — 62

CAPÍTULO 4 - O PODER DO MASTERMIND — 80

CAPÍTULO 5 - OS FANTASMAS DO MEDO — 104

SOBRE NAPOLEON HILL
E A FUNDAÇÃO NAPOLEON HILL — 131

PREFÁCIO

Em 1937, o jornalista Napoleon Hill lançou a primeira edição de *Pense e enriqueça* – uma obra transformadora baseada na crença que ele e Andrew Carnegie compartilhavam de que a sorte está ao alcance de todos. Com esse intuito, Hill entrevistou mais de quinhentos milionários empreendedores com o objetivo de desvendar a fórmula da "sorte" deles.

Os conselheiros da Fundação Napoleon Hill têm o prazer de apresentar esta edição especial com trechos de *Pense e enriqueça*, o livro clássico de Napoleon Hill. Para esta edição especial, decidimos nos concentrar na palavra **PENSAR**, que consta no título. O livro que você está prestes a ler evidencia os muitos poderes fascinantes da mente: a capacidade de desejar e se comprometer com um objetivo, de imaginar os meios para atingi-lo,

Napoleon Hill lendo a primeira edição do seu livro *Pense e enriqueça* (1937)

de persistir com determinação para alcançá-lo e de conquistar o apoio de outras mentes para chegar lá.

Por 25 anos, foi confiada a Hill a tarefa de documentar e colaborar com os empresários mais ricos e bem-sucedidos de sua época, o que resultou no livro *Pense e enriqueça*. Esta edição e todas as edições de *Pense e enriqueça* transmitem a experiência desses homens, que começaram do zero, com nada para dar em troca, exceto seus **PENSAMENTOS, IDEIAS** e **PLANOS ORGANIZADOS**.

Aqui está a essência da filosofia do enriquecimento e de outros tipos de realização pessoal, tal como foi organizada a partir das verdadeiras realizações dos homens mais bem-sucedidos dos Estados Unidos da América durante os anos da formação econômica do país. Ela descreve não só **O QUE FAZER**, mas também **COMO FAZER**!

Para esta edição especial de *Pense e enriqueça*, a Fundação Napoleon Hill se concentrou em quatro princípios de sucesso: Desejo, Imaginação, Persistência e MasterMind, bem como o capítulo de conclusão deste livro, os Seis Fantasmas do Medo. A ênfase

Andrew Carnegie, William Jennings Bryan e outros (por volta de 1910)

se concentra nos meios pelos quais o poder da mente pode ajudá-lo a Pensar e Enriquecer.

Napoleon Hill escreveu que o desejo é o ponto de partida para todas as realizações. E ele falou não de um mero desejo, mas de um desejo ardente. O desejo nos faz desenvolver nosso propósito determinado, sem o qual não é possível chegar ao sucesso e à felicidade. Quando Napoleon era um jovem repórter, ele testemunhou em primeira mão o voo inaugural dos irmãos Wright, certamente o produto de um desejo ardente. Ele conheceu Thomas Edison, que desejou mais do que qualquer um em seu tempo que a ciência e a sociedade se desenvolvessem. O desejo de Napoleon Hill de ajudar seu filho, que nascera sem a audição, produziu uma espécie de milagre quando o filho, depois de anos sendo auxiliado por Napoleon, e para espanto dos médicos, começou a ouvir. Todos esses exemplos de desejo ardente são apresentados neste livro.

Napoleon disse que a imaginação é a oficina da mente. Nós todos podemos imaginar. Às vezes sob a forma de um sonho que sonhamos acordados, ou por meio da meditação ou da criação artística. Em *Pense e enriqueça*, Napoleon salientou como a imaginação pode ser usada para alcançar o êxito financeiro. Imagine com os olhos da sua mente as muitas maneiras pelas quais a imaginação, aliada ao desejo, pode gerar riquezas. Este livro pode ajudá-lo a alcançar sua meta.

A mente é maravilhosa em toda a sua complexidade. Ela tem muitas facetas e poderes. Um deles é a capacidade de persistência. A persistência permite que consigamos lidar com o fracasso, reconhecendo que ele é apenas um contratempo temporário que pode ser superado. Napoleon disse que toda adversidade traz consigo a semente de uma vantagem equivalente, uma ideia brilhante, mas que depende da persistência para a plena realização. Nestes trechos de *Pense e enriqueça*, Napoleon demonstra como a persistência pode ser desenvolvida e como a falta dela pode ser reconhecida e superada.

Napoleon Hill reconhecia que duas mentes funcionam melhor do que uma, e que duas mentes trabalhando juntas em harmonia na direção de um propósito em comum se tornam melhores do que a soma de suas partes. Essa é outra verdade fascinante sobre o poder da mente, explicada em *Pense e enriqueça*. Henry Ford e Mahatma Gandhi são homens que reconheceram e usaram o princípio do MasterMind para chegar a resultados praticamente inimagináveis, e as histórias deles aparecem neste livro.

Napoleon também reconhecia que a mente tinha o poder de superar os efeitos debilitantes do medo. Sua famosa explicação de como vencer os seis fantasmas do medo concluem esta edição especial, mostrando que a mente pode não apenas conquistar sucesso financeiro por meio do uso do desejo, da imaginação, da persistência e do princípio do MasterMind, mas também produ-

Henry Ford (1934)

zir felicidade e tranquilidade duradouras ao superar os medos que podem nos atormentar.

A Fundação Napoleon Hill se orgulha de apresentar estas verdades profundas e essenciais sobre o poder da mente presentes em *Pense e enriqueça*. Muitas pessoas nos dizem que esse foi o livro mais transformador que já leram, exceto, talvez, pelas Escrituras. Esperamos que você concorde e se beneficie dos tesouros atemporais encontrados neste livro magnífico.

Don M. Green

Diretor executivo e conselheiro
Fundação Napoleon Hill

INTRODUÇÃO

"Em todos os capítulos deste livro, fala-se do segredo da prosperidade financeira, responsável pela fortuna dos mais de quinhentos homens incrivelmente ricos que analisei profundamente ao longo de vários anos.

Conheci esse segredo por meio de Andrew Carnegie há mais de 25 anos. Aquele escocês sagaz e adorável simplesmente despejou aquilo na minha mente quando eu era apenas um garoto. E, depois, ele se encostou em sua cadeira, com um brilho alegre no olhar, e ficou me observando atentamente para ver se eu tinha cabeça para entender o significado daquilo tudo que ele me dissera.

Quando ele viu que eu tinha captado a ideia, perguntou se eu estaria disposto a passar vinte anos ou mais preparando-me para contar o segredo ao mundo, para homens e mulheres que, sem saber daquilo, poderiam passar a vida pulando de fracasso em fracasso. Eu disse que sim, que estaria disposto, e, com a cooperação de Andrew Carnegie, cumpri a minha promessa.

Este livro revela o segredo, depois de ter sido testado por milhares de pessoas, em quase todas as esferas da vida. Foi ideia de Carnegie disponibilizar a fórmula mágica, que lhe rendeu uma fortuna estupenda, para pessoas que não teriam tempo para investigar como se ganha dinheiro. Assim, ele esperava que eu pudesse testar e demonstrar a validade da fórmula, por meio da experiência de homens e mulheres de todas as profissões. Ele acreditava que a fórmula deveria ser ensinada em todas as escolas públicas e faculdades e manifestou a opinião de que, se ela fosse ensinada adequadamente, todo o sistema educacional passaria por uma revolução, podendo reduzir pela metade o tempo que se passa na escola.

Nas minhas últimas palavras introdutórias, quero oferecer uma breve sugestão, uma pista que pode dar indícios sobre o segredo de Carnegie. É a seguinte:

todas as realizações, todas as riquezas conquistadas, começam com uma ideia! Se você está pronto para conhecer o segredo, já está com meio caminho andado, portanto, reconhecerá a outra parte assim que ela entrar na sua mente."

Napoleon Hill

Autor de *Pense e enriqueça*
Fundador da Fundação Napoleon Hill

DESEJO

DESEJO

O ponto de partida para todas as realizações

Quando Edwin C. Barnes desceu de um trem de carga em Orange, Nova Jersey, trinta anos atrás, ele podia até parecer um mendigo, mas seus pensamentos eram os de um rei!

Ao caminhar ao longo dos trilhos da ferrovia até o escritório de Thomas Edison, sua cabeça estava no trabalho. Ele se viu *sentado diante de Edison*. Ele se ouviu pedindo a Edison uma oportunidade de realizar uma obsessão que o consumia, um *desejo ardente* de se tornar um empresário parceiro do grande inventor.

Thomas Edison e seu dínamo original (por volta de 1906)

O desejo de Barnes não era apenas uma *esperança*! Não era um *desejo*. Era um *desejo* vivo e pulsante, que transcendia todo o resto. Ele estava *determinado*.

Passaram-se cinco anos até surgir a chance que ele estava buscando. Durante todos aqueles anos, nenhuma ponta de esperança, nenhuma promessa de realização do desejo lhe fora oferecida. Para todos, exceto para si mesmo, ele parecia apenas outra engrenagem na máquina de negócios de Edison, mas, em sua cabeça, ele era o parceiro de Edison em todos os instantes, desde o primeiro dia em que chegara para trabalhar lá.

Ao ir para Orange, ele disse a si mesmo que iria induzir Edison a lhe dar um emprego qualquer. Afirmou: "Vou procurar Edison e dizer que vim para fazer negócios com ele".

Ele não disse: "Vou trabalhar lá por alguns meses e, se eu não tiver nenhum apoio, saio do emprego e procuro outra coisa para fazer". Ele disse: "Vou começar de qualquer lugar. Vou fazer o que Edison quiser que eu faça, mas não saio antes de me tornar seu parceiro".

Ele não disse: "Vou ficar de olhos abertos para outras oportunidades, caso eu não consiga o que quero na empresa de Edison". Ele disse: "Só há **UMA** coisa neste mundo que estou determinado a conseguir, que é uma parceria de negócios com Thomas A. Edison. Vou fazer o que tiver de ser feito e apostar todo o meu futuro na minha capacidade de conseguir o que quero".

Ele não se permitiu recuar. Ele deveria vencer ou perecer tentando!

É nisso que se resume a história de sucesso de Barnes.

Todos os seres humanos que chegam à idade de entender o propósito do dinheiro querem tê-lo. Mas o simples *querer* não garante riqueza a ninguém. O que garante a riqueza é *desejá-la* com um estado mental que faz disso uma obsessão, planejando formas e meios definitivos de conseguir enriquecer, e perseguir esses planos com persistência sem admitir o *fracasso*.

O método que pode transformar o *desejo* de riqueza em seu equivalente financeiro consiste em seis passos práticos e definitivos:

Thomas Edison analisando o edifone com Edwin C. Barnes (por volta de 1921)

◇ **PRIMEIRO:** Coloque na cabeça a quantidade exata de dinheiro que você deseja. Não basta dizer "quero ter muito dinheiro". Seja preciso quanto à quantidade.

◇ **SEGUNDO:** Determine exatamente o que você pretende dar em troca pelo dinheiro que você deseja (não é possível querer "algo em troca de nada").

◇ **TERCEIRO:** Estabeleça uma data definitiva para quando você pretende *ter em mãos* o dinheiro que deseja.

◇ **QUARTO:** Crie um plano definido para realizar o seu desejo e comece *de uma vez* a colocar o plano em *ação*, estando preparado ou não.

◇ **QUINTO:** Escreva uma afirmação clara e concisa sobre o valor que você pretende ter, determine o tempo que levará para consegui-lo e declare o que você pretende dar em troca pelo dinheiro, e descreva claramente o plano que o fará conseguir.

◇ **SEXTO:** Leia a sua afirmação em voz alta, duas vezes por dia, uma vez logo antes de se deitar e uma vez assim que se levantar pela manhã.

Quem está nesta corrida pela riqueza deve saber que o que mudou no mundo em que vivemos foi a demanda por novas ideias, novas formas de fazer as coisas, novos líderes, novas invenções e novos métodos de ensino, novas formas de comercialização, novos livros, uma nova literatura, novos recursos de mídia e vídeo... por trás de toda essa demanda por coisas novas e melhores, há uma qualidade que todos devemos ter para vencer, que é a **DEFINIÇÃO DE PROPÓSITO**, o saber o que se quer e um *desejo ardente* de ter aquilo.

Nós, que desejamos acumular riqueza, devemos nos lembrar de que os verdadeiros líderes de todo o mundo foram homens que aproveitaram e aplicaram as forças intangíveis e invisíveis de oportunidades que ainda estavam por surgir, e transformaram essas forças (ou impulsos de pensamento) em arranha-céus, cidades, fábricas, aviões, automóveis e em todas as novas formas de conveniência que tornam a vida mais agradável.

A tolerância e uma mente aberta são necessidades básicas de todos os sonhadores de hoje. *Quem tem medo de novas ideias está condenado antes mesmo de começar.* Nunca houve um momento tão favorável aos pioneiros quanto agora. É verdade, não existem terras a serem desbravadas como havia no tempo das diligências, mas existe um vasto mundo de negócios, finanças e indústrias que precisa ser remodelado e redirecionado a novos rumos.

Ao planejar conquistar o seu quinhão de riqueza, não deixe que ninguém menospreze o sonhador que há em você. Para ganhar os grandes prêmios deste mundo tão diverso, você precisa capturar o espírito dos grandes desbravadores do passado, cujos sonhos proporcionaram à civilização tudo que ela tem de valor, o espírito que serve como o sangue vital do nosso país: as suas oportunidades, e as minhas, de desenvolver e vender os nossos talentos.

Os irmãos Wright sonharam em construir uma máquina que voasse pelos ares. Podemos ver a prova da concretização do sonho deles em todo o mundo.

O mundo se acostumou a novas descobertas. Ou melhor: o mundo se mostrou disposto a recompensar o sonhador que dá ao mundo uma nova ideia.

Sonhadores do mundo: acordem, levantem-se e imponham-se! A sua estrela está subindo aos céus. O mundo está repleto de abundância de **OPORTUNIDADES** que os sonhadores do passado nunca chegaram a conhecer.

Os irmãos Wright no Torneio Internacional de Aviação (1910)

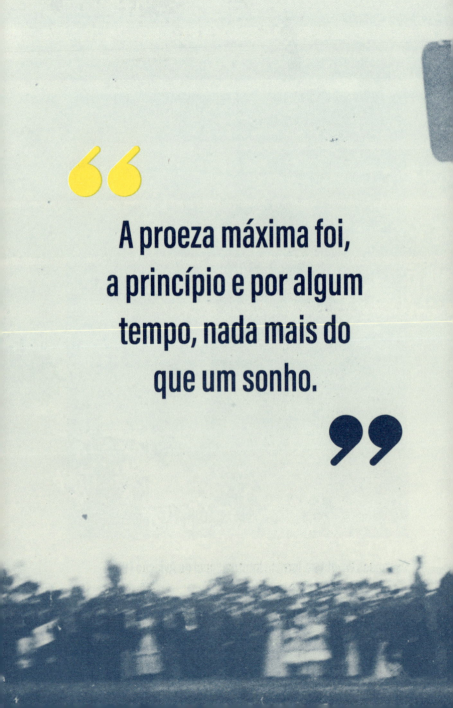

> "A proeza máxima foi, a princípio e por algum tempo, nada mais do que um sonho."

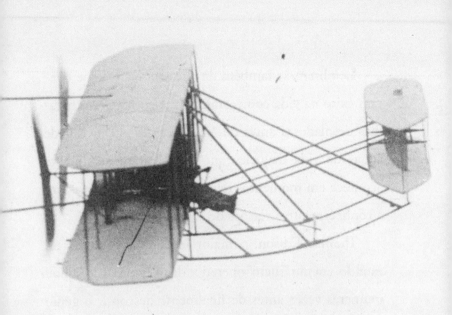

O avião dos irmãos Wright voando sobre o Forte Meyer (por volta de 1909)

Lembrem-se também de que muitos dos que tiveram êxito na vida começaram mal e enfrentaram batalhas desoladoras antes de "chegarem lá". O divisor de águas na vida daqueles que prosperaram geralmente acontece em momentos de crise, nos quais eles passam a conhecer outras versões de si mesmos.

Thomas Edison, o maior inventor e cientista do mundo, era um "mero" operador de telégrafo. Ele falhou inúmeras vezes antes de finalmente descobrir o gênio que dormia em seu cérebro.

Robert Burns era um camponês analfabeto, amaldiçoado pela pobreza, crescendo fadado à bebedeira e à mendicância. O mundo se tornou um lugar melhor por causa da sua existência, pois ele revestiu belos pensamentos de poesia, removendo assim um espinho e plantando uma rosa no lugar.

Booker T. Washington nasceu como escravo, prejudicado por preconceitos de raça e cor. Por ser tolerante, manter a mente sempre aberta sobre qualquer assunto e por ser um **SONHADOR**, ele deixou sua marca positiva em todo o país.

Booker T. Washington (por volta de 1890)

Beethoven era surdo, Milton era cego, mas seus nomes perdurarão para sempre, porque eles sonharam e traduziram seus sonhos em pensamentos organizados.

Há uma diferença entre *desejar* alguma coisa e *estar pronto para recebê-la*. Só podemos estar prontos para alguma coisa quando acreditamos que podemos consegui-la. O estado mental deve ser de crença, não de mera esperança ou desejo. Ter a mente aberta é essencial para a crença. Mentes fechadas não inspiram fé, coragem ou crença.

O desejo triunfa sobre a mãe natureza

Muitos anos antes do nascimento do meu filho, eu havia escrito: "Nossas limitações são aquelas que colocamos nas nossas próprias mentes". Pela primeira vez, me perguntei se aquela afirmação era verdadeira. Na minha frente, deitada na cama, havia uma criança recém-nascida, sem nenhum vestígio físico de uma orelha, que é o equipamento natural da audição. Embora ele pudesse ouvir e falar, obviamente ficaria desfigurado por toda a vida.

O que eu poderia fazer a respeito? Teria que encontrar alguma forma de inculcar na mente daquela criança o meu próprio *desejo ardente* de levar o som ao seu cérebro sem a ajuda das orelhas.

Assim que o garoto cresceu o suficiente para começar a cooperar, eu enchia a cabeça dele com o *desejo ardente* de ouvir, que a natureza, usando seus próprios métodos, traduziria em uma realidade física.

Certo dia, descobri que ele conseguia me ouvir muito claramente quando eu falava tocando os lábios em seu osso mastoide, na base do cérebro. Essas descobertas me deram os meios necessários que me ajuda-

ram a realizar meu *desejo ardente* de ajudar meu filho a desenvolver a audição e a fala. Naquela época, ele fazia tentativas de falar algumas palavras. As perspectivas não eram nada animadoras, mas o **DESEJO POTENCIALIZADO PELA FÉ** não conhece a palavra impossível.

Tendo estabelecido que ele conseguia ouvir o som da minha voz claramente, imediatamente comecei a transferir para a sua mente o desejo de falar e ouvir. Logo descobri que aquela criança gostava de ouvir histórias antes de dormir, então comecei a trabalhar, criando histórias que desenvolvessem nele a autoconfiança, a imaginação e um *desejo profundo de ouvir e ser normal.*

Aquele menininho surdo cursou o ensino primário, o secundário e a faculdade sem conseguir ouvir uma palavra que seus professores diziam, exceto quando eles gritavam bem alto e próximo dele. Ele não frequentava a escola de surdos. Não permitimos que aprendesse a linguagem de sinais. Estávamos decididos que ele deveria viver uma vida normal, conviver com crianças normais, e nos mantivemos firmes naquela decisão, embora aquilo tenha sido motivo de muitas discussões com a administração da escola.

Durante o ensino secundário, ele experimentou um aparelho auditivo, mas não lhe valeu de nada, devido a um problema que foi descoberto quando ele tinha seis anos, quando um médico operou um lado da sua cabeça e viu que não havia nenhum sinal do aparelho auditivo natural.

Durante seu último ano na faculdade (dezoito anos após a cirurgia), aconteceu algo que acabou se transformando em um dos momentos mais decisivos da sua vida. No que pareceu um mero golpe de sorte, chegou às suas mãos um aparelho auditivo elétrico, que lhe fora enviado como um experimento. Ele custou a experimentar, por conta da sua decepção com o outro aparelho parecido. Por fim, pegou o instrumento e, com certa displicência, colocou na cabeça, conectou a bateria, e eis

que, como num passe de mágica, seu antigo desejo de ouvir se tornava realidade. Pela primeira vez na vida, ele ouviu praticamente tão bem quanto qualquer pessoa com audição normal.

Extasiado por causa do **MUNDO DIFERENTE** que lhe fora proporcionado pelo aparelho auditivo, ele correu até o telefone, ligou para a sua mãe e ouviu a voz dela perfeitamente. No dia seguinte, pela primeira vez na vida, ele ouviu claramente a voz dos professores nas aulas! Antes, só conseguia ouvi-los quando eles gritavam bem de perto. Ele agora ouvia o rádio. Ouvia o que se dizia nos filmes. Pela primeira vez na vida, podia conversar tranquilamente com outras pessoas, sem que elas precisassem gritar. Efetivamente, ele se apoderou de um mundo diferente. Nós nos recusamos a aceitar o erro da natureza e, com um **DESEJO PERSISTENTE**, induzimos a natureza a corrigir o erro, usando os únicos meios concretos que tínhamos em mãos.

> Tudo que a mente pode conceber e acreditar, ela pode conseguir com uma atitude mental positiva.

Napoleon Hill

O desejo na prática

1. Na sua vida, o que você considera simplesmente como desejo, em oposição a um desejo ardente?

2. Você está disposto a pagar o preço que Edwin C. Barnes pagou para transformar seus desejos em realidade?

3. Qual é o ponto de partido de todas as conquistas? Como você pode dar os seus primeiros passos **HOJE**?

4. Entendendo que nada vem de graça, o que você estaria disposto a sacrificar pelo seu sucesso?

5. Se você sabe o que deseja, acredita na sua capacidade de conseguir os resultados que busca?

> O carvalho dorme em uma bolota. O pássaro espera no ovo, e na visão mais elevada da alma há um anjo acordado em movimento. Os sonhos são a semente da realidade.
>
> James Allen

2

IMAGINAÇÃO

A oficina da mente

A imaginação é, literalmente, a oficina onde são moldados todos os planos criados pelo homem. O impulso, o *desejo* tomam forma e **AGEM** por meio da ajuda da faculdade imaginativa da mente.

Já foi dito que o homem pode criar tudo aquilo que pode imaginar.

A única limitação justificável do homem reside no desenvolvimento e uso de sua imaginação. O homem ainda não chegou ao auge do desenvolvimento do uso de suas faculdades imaginativas. Ele acabou de desco-

brir sua imaginação e passou a usá-la de forma ainda muito elementar.

Os grandes líderes dos negócios, da indústria, das finanças, e os grandes artistas, músicos, poetas e escritores tornaram-se grandiosos porque desenvolveram a faculdade da imaginação criativa.

O *desejo* é apenas um pensamento, um impulso. Ele é nebuloso e efêmero. É abstrato, não tem valor algum enquanto não for transformado em uma realidade física.

As ideias são o ponto de partida de todas as fortunas. *As ideias são produtos da imaginação.* Vamos examinar agora ideias muito conhecidas que renderam imensas fortunas, na esperança de que estes exemplos transmitam informações concretas sobre o método pelo qual a imaginação pode ser usada para acumular riquezas.

A chaleira encantada

Há cinquenta anos, um velho médico do interior foi até a cidade, prendeu seu cavalo, entrou discretamente em uma farmácia pela porta dos fundos e começou a negociar com o jovem atendente da farmácia.

Sua missão estava fadada a gerar grandes fortunas para muitas pessoas.

Por mais de uma hora, detrás do balcão, o velho médico e o atendente conversaram baixinho. E então o médico foi embora. Ele foi até a carroça e trouxe uma enorme chaleira antiga, uma espátula de madeira (usada para misturar o que havia na chaleira), e as deixou nos fundos da loja.

O atendente analisou o caldeirão, levou a mão ao bolso, tirou um rolo de notas e entregou ao médico. O rolo de notas tinha exatamente US$ 500 — todas as economias do atendente!

O médico entregou-lhe um pequeno pedaço de papel no qual estava anotada uma fórmula secreta. As palavras naquele pedaço de papel valiam o resgate de um rei! *Mas não para o médico.* Aquelas palavras mágicas eram necessárias para que a chaleira começasse a ferver, mas nem o médico nem o jovem atendente imaginavam que fortunas incríveis estavam destinadas a sair dela.

O velho médico ficou feliz ao vender o objeto por quinhentos dólares. O dinheiro pagaria suas dívidas e o deixaria tranquilo. O atendente estava se arriscan-

do muito ao apostar todas as suas economias em um simples pedaço de papel e em uma chaleira velha! Ele nunca imaginou que seu investimento faria com que a chaleira transbordasse tanto ouro que superaria os feitos da lâmpada de Aladdin.

O que o atendente *comprou, na verdade,* foi uma **IDEIA**!

A chaleira velha, a espátula de madeira e a mensagem secreta em um pedaço de papel eram secundárias. Os estranhos feitos da chaleira começaram a acontecer assim que o novo proprietário misturou um novo ingrediente que o médico não conhecia.

Leia essa história com cuidado e teste a sua imaginação! Veja se você consegue descobrir o que o jovem adicionou à mensagem secreta que fez com que a chaleira começasse a transbordar ouro. Lembre-se, ao ler, de que essa não é uma história das *Mil e uma noites*. Essa é uma história verdadeira, com fatos mais curiosos do que a ficção, que começaram na forma de uma **IDEIA**.

Vamos agora analisar as grandes fortunas que essa ideia produziu. Ela rendeu e continua rendendo muitas riquezas a homens e mulheres de todo o mundo que seguem distribuindo o que havia dentro da chaleira para milhões e milhões de pessoas.

A chaleira velha hoje é um dos maiores consumidores mundiais de açúcar, que gera empregos permanentes para milhares de trabalhadores e trabalhadoras no cultivo da cana-de-açúcar e no setor de refino e comercialização do açúcar.

A chaleira velha consome anualmente milhões de garrafas, gerando emprego para inúmeros trabalhadores da indústria do vidro.

A influência dessa ideia beneficia hoje todos os países civilizados do mundo, vertendo um fluxo contínuo de ouro a todos que o tocam.

O ouro da chaleira construiu e sustenta uma das faculdades mais importantes do sul dos Estados Unidos, onde milhares de jovens recebem a educação de que precisam para vencer na vida.

A chaleira velha fez coisas incríveis... pois essa é a história da origem da Coca-Cola.

Ao longo de toda a depressão mundial, quando milhares de fábricas, bancos e negócios estavam fechando, o proprietário dessa chaleira encantada seguiu

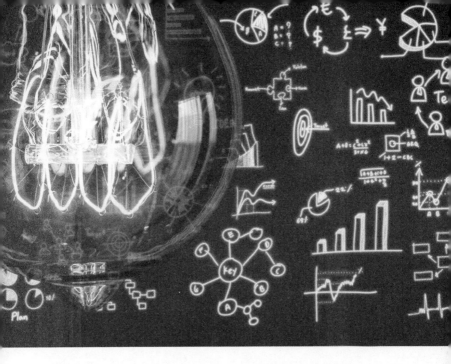

firme, *sem parar de gerar empregos* para um exército de homens e mulheres de todo o mundo, e gerando ainda mais ouro para aqueles que, tempos atrás, *tiveram fé naquela ideia*.

Não importa quem você seja, onde você viva e com o que você trabalhe: lembre-se apenas, no futuro, quando vir as palavras "Coca-Cola", de que esse grande império de riqueza e influência surgiu de uma única **IDEIA** e que o ingrediente misterioso que o atendente da farmácia adicionou à fórmula secreta foi... **IMAGINAÇÃO**!

Pois, sim, os pensamentos são reais, e seu âmbito de atuação é o próprio mundo.

O que eu faria se tivesse um milhão de dólares

Essa história prova que o velho ditado "Onde existe vontade, existe um caminho" é verdadeiro. Ouvi isso do meu querido professor e pastor, o finado Frank W. Gunsaulus, que iniciou carreira como missionário nos currais da região sul de Chicago.

Enquanto frequentava a faculdade, o Dr. Gunsaulus observou muitos defeitos no nosso sistema educacional, que ele acreditou que poderia corrigir se pudesse administrar uma faculdade. Seu *desejo mais profundo* era se tornar diretor de uma instituição educacional na qual os jovens seriam ensinados a "aprender na prática".

Ele decidiu organizar uma nova faculdade na qual pudesse aplicar suas ideias sem ser prejudicado pelos métodos educacionais mais ortodoxos.

Ele precisava de um milhão de dólares para tirar o projeto do papel. Onde ele conseguiria uma quantia tão grande? Essa era a pergunta que consumia boa parte dos pensamentos ambiciosos do jovem pastor.

Por ser um filósofo, além de pastor, o Dr. Gunsaulus reconheceu, assim como reconhecem todas as pessoas que têm êxito na vida, que a **FIRMEZA DE PROPÓSITO** é o ponto de partida. Ele também reconheceu que a firmeza de propósito ganha animação, vida e poder quando é apoiada em um *desejo ardente* de traduzir tal desejo em seu equivalente material.

Ele sabia de todas essas grandes verdades, mas mesmo assim não sabia onde e como conseguiria um milhão de dólares. O caminho natural seria desistir e abandonar a ideia, dizendo "Bom, a ideia até que é boa, mas não me adianta de nada, porque nunca vou conseguir o dinheiro de que preciso". Isso é exatamente o que a maioria das pessoas teria dito, mas não foi o que o Dr. Gunsaulus falou. O que ele disse e o que ele fez foi tão importante que trago aqui suas palavras, para que ele fale por si.

"Em um sábado à tarde, eu estava sentado no meu quarto pensando em formas e meios de levantar o dinheiro de que precisava para executar os meus planos. Era algo em que eu pensava havia quase dois anos, mas eu não tinha feito *nada além de pensar!*

Chegara o momento de **AGIR**!

Eu decidi, naquele instante e naquele lugar, que conseguiria o dinheiro de que precisava em uma semana. Como? Liguei para jornais importantes e anunciei

que faria um sermão na manhã seguinte, que chamei de 'O que eu faria se tivesse um milhão de dólares'.

Comecei a trabalhar no sermão imediatamente, mas preciso confessar, sinceramente, que a tarefa não era nada difícil, pois eu vinha me preparando para aquele sermão havia quase dois anos. A essência daquele sermão já fazia parte de mim!

Na manhã seguinte, acordei cedo, ajoelhei-me e pedi para que o sermão que eu daria naquela noite chamasse a atenção de alguém que pudesse oferecer o dinheiro necessário.

Enquanto eu orava, tive novamente a sensação de tranquilidade e certeza de que o dinheiro estava vindo. Na empolgação, acabei saindo de casa sem o sermão, o que só fui descobrir quando já estava no púlpito, pronto para começar a falar.

Já era tarde demais para voltar e pegar minhas anotações, e foi uma verdadeira dádiva não ter podido voltar! Em vez disso, o meu próprio subconsciente me forneceu todo o material de que eu precisava. Quando me levantei para começar o sermão, fechei os olhos e falei de todo o coração sobre os meus sonhos. Falei não apenas com o público; senti que eu estava de fato falando com Deus. Contei o que faria com um milhão de dólares se aquele dinheiro fosse colocado nas minhas mãos. Descrevi o plano que eu tinha em mente, de fundar uma instituição educacional de excelência onde jovens aprenderiam a fazer coisas práticas ao mesmo tempo que desenvolviam a mente.

Quando terminei e me sentei, um homem se levantou devagar de onde estava e foi até o púlpito. Fiquei me perguntando o que ele estava fazendo. Ele subiu ao púlpito, estendeu a mão e disse: "Reverendo, gostei do seu sermão. Acredito que você pode fazer tudo o que falou que faria se tivesse um milhão de dólares. Para provar que acredito em você e no seu sermão, se você vier ao meu escritório amanhã de manhã, lhe darei um milhão de dólares. O meu nome é Phillip D. Armour".

O jovem pastor foi até o escritório de Armour, e o dinheiro lhe foi entregue. Com o dinheiro, ele fundou o Armour Institute of Technology.

O dinheiro de que ele precisava veio como resultado de uma ideia. Por trás dessa ideia, havia um *desejo* que o jovem Gunsaulus vinha alimentando em sua mente fazia quase dois anos.

Observe este fato importante: *ele conseguiu o dinheiro 36 horas após tomar a decisão final de conseguir, e traçou um plano definitivo para isso.*

Note que Asa Candler e o doutor Frank Gunsaulus tinham uma característica em comum. Os dois conheciam a verdade surpreendente de que *as ideias podem ser transformadas em dinheiro por meio do poder de um propósito firme, aliado a planos definitivos.*

Ideias são forças intangíveis, mas elas têm mais poder do que o cérebro que deu origem a elas.

Elas têm o poder de continuar vivendo mesmo depois que o cérebro que lhe deu origem volta ao pó. Veja o exemplo do cristianismo. Ele começou com uma ideia simples, nascida na mente de Cristo. Seu princípio principal era "Faça aos outros o que você gostaria que fizessem com você". Cristo voltou às origens de onde veio, mas a Sua **IDEIA** permanece. Algum dia, talvez ela cresça e se revele, realizando, assim, o *desejo* mais profundo de Cristo. A **IDEIA** vem se desenvolvendo há apenas dois mil anos. Vamos dar mais um tempo!

O SUCESSO NÃO EXIGE EXPLICAÇÕES O FRACASSO NÃO PERMITE NENHUM ÁLIBI.

Somos os mestres do nosso destino, capitães das nossas almas, porque temos o poder de controlar nossos pensamentos.

Napoleon Hill

Colocando a imaginação para funcionar

1. Como é a oficina da sua mente?

2. O que essa oficina está criando na sua vida?

3. Se os valores se convertessem em riqueza, quais você considera mais importantes?

4. Esses valores transformarão o seu desejo em uma realidade financeira tangível?

5. Você é capaz de trabalhar para desenvolver sua imaginação e prosperar além de qualquer limite?

PERSISTÊNCIA

O esforço sustentado necessário para produzir sucesso

A **persistência** é um fator essencial no processo de transmutar o *desejo* em seu equivalente financeiro. A base da persistência é a força de vontade.

A maioria das pessoas abre mão de seus objetivos e propósitos e desiste no primeiro sinal de oposição ou infortúnio. São poucos os que insistem, apesar de qualquer contrariedade, até atingir o objetivo desejado. Há pouquíssimos Fords, Carnegies, Rockefellers e Edisons por aí.

A persistência é um estado de espírito, portanto, pode ser cultivada. Como todos os estados de espírito, a persistência se baseia em causas determinadas, dentre as quais:

1. DEFINIÇÃO DE PROPÓSITO. Saber o que se quer é o primeiro, e talvez mais importante, passo para cultivar persistência. Uma motivação nos força a superar muitas dificuldades.

2. DESEJO. É comparativamente fácil desenvolver e manter a persistência ao correr atrás do objeto de um desejo intenso.

3. AUTOCONFIANÇA. Acreditar na própria habilidade de realizar um plano nos encoraja a segui-lo com persistência.

4. DEFINIÇÃO DE PLANOS. Planos bem organizados, mesmo quando fracos e completamente inviáveis, estimulam a persistência.

5. CONHECIMENTO APURADO. Saber que os nossos planos são bons, com base na experiência ou na observação, favorece a persistência; o "achismo", quando substitui o conhecimento, destrói a persistência.

6. COOPERAÇÃO. Empatia, compreensão e cooperação harmônica com os outros tendem a desenvolver a competência.

7. FORÇA DE VONTADE. O hábito de concentrar nossos pensamentos na construção de planos para a realização de um propósito definido leva à persistência.

8. HÁBITO. A persistência é o resultado direto do hábito. A mente absorve e se torna parte da experiência diária da qual ela se alimenta. O medo, o pior dos inimigos, pode ser efetivamente curado pela repetição forçada de atos de coragem. Todos que já viram alguém na ativa em uma guerra sabem disso.

Faça uma autoanálise e estabeleça se e em quais dos aspectos você está deixando a desejar nesta qualidade essencial. Avalie-se com coragem, ponto a ponto, e veja quantos dos oito fatores de persistência lhe faltam. A análise pode levá-lo a descobrir coisas que o farão se enxergar de outra forma.

Sintomas da falta de persistência

Você encontrará aqui os verdadeiros inimigos que se colocam entre você e qualquer realização notável. Você encontrará não apenas os "sintomas" que indicam uma deficiência de **PERSISTÊNCIA**, mas também as causas profundamente arraigadas no subconsciente que causam essa deficiência. Estude a lista com atenção e encare-se de frente *se você quiser saber quem é e o que é capaz de fazer*. Estas são as deficiências que precisam ser dominadas por todos aqueles que desejam acumular riquezas.

1. Não conseguir reconhecer e definir com clareza exatamente aquilo que se quer.

2. Procrastinação, com ou sem motivo (geralmente justificada por uma vasta gama de álibis e desculpas).

3. Falta de interesse em adquirir conhecimentos especializados.

4. Indecisão, o hábito de "passar a bola" em todas as circunstâncias, em vez de enfrentar os problemas de frente (também justificada por álibis).

5. O hábito de recorrer a álibis em vez de criar planos definidos que ajudem a encontrar a solução do problema.

6. Autossatisfação. Há pouquíssimas chances de cura para esse flagelo, e nenhuma esperança para aqueles que dele sofrem.

OS CINCO PRINCÍPIOS ESSENCIAIS DE NAPOLEON HILL

7. Indiferença, geralmente refletida na disposição de ceder em qualquer ocasião, em vez de enfrentar a oposição e lutar.

8. O hábito de culpar os outros pelos próprios erros e aceitar as circunstâncias desfavoráveis como se fossem inevitáveis.

9. Desejo fraco, por negligenciar a escolha da motivação que impulsiona a ação.

10. Disposição, talvez até entusiasmo, de desistir no primeiro sinal de derrota.

11. Falta de planos organizados e escritos em um local onde possam ser analisados.

12. O hábito de se negar a levar as ideias adiante ou de se negar a agarrar as oportunidades que se apresentam.

13. Ficar apenas no desejo.

14. O hábito de se agarrar à pobreza, em vez de buscar a riqueza. Ausência geral de ambição de ser, fazer e possuir.

15. Buscar todos os tipos de atalho para a riqueza, tentando obter sem dar em troca um equivalente justo, geralmente refletido no hábito de apostar, empenhando-se em conseguir ganhos fáceis.

16. Medo de críticas, incapacidade de criar planos e colocá-los em ação por causa do que as outras pessoas vão pensar, dizer ou falar. O lugar desse inimigo é no

topo da lista, porque ele geralmente se manifesta no nosso subconsciente, onde sua presença não é notada.

Vamos examinar agora alguns dos sintomas do medo de críticas. A maioria das pessoas permite que familiares, amigos e o público em geral as influenciem a tal ponto que elas não conseguem viver a própria vida, por ter medo de críticas.

Inúmeras pessoas comentem erros no casamento, pagam o preço e passam a vida infelizes e descontentes porque têm medo das críticas que podem vir se elas corrigirem o erro (qualquer pessoa que já tenha se submetido a essa forma de erro sabe o mal irreparável que ele causa, destruindo as ambições, a autoconfiança e o desejo de crescer).

Milhões de pessoas se negam a voltar a estudar, depois de sair da escola, porque têm medo das críticas.

Incontáveis homens e mulheres, tanto jovens quanto de mais idade, permitem que os parentes arruínem suas vidas em nome de algum dever, porque eles têm medo das críticas (o dever não exige que ninguém se sujeite à destruição das ambições pessoais e abra mão do direito de viver a vida do jeito que melhor lhe convier).

As pessoas se negam a se arriscar nos negócios, porque têm medo das críticas que podem vir caso elas falhem. *O medo da crítica nesses casos é mais forte do que o desejo de sucesso.*

Muitas pessoas se recusam a definir metas para si mesmas ou se negam até mesmo a escolher uma carreira porque têm medo das possíveis críticas dos parentes e "amigos": "Não sonhe tão alto, as pessoas vão achar que você enlouqueceu".

A única oportunidade com que as pessoas podem contar são as oportunidades que elas mesmas criam. Essas oportunidades surgem pela aplicação da **PERSISTÊNCIA**. O ponto de partida é a **DEFINIÇÃO DE PROPÓSITO**.

Analise as primeiras cem pessoas que você encontrar, pergunte-lhes o que elas mais querem na vida, e 98 responderão que não sabem dizer. Se você insistir em obter uma resposta, algumas dirão segurança, outras dirão dinheiro, poucas dirão felicidade e algumas outras dirão fama e poder, enquanto outras dirão reconhecimento social, tranquilidade, habilidade de cantar, dançar ou escrever, mas nenhuma delas conseguirá definir melhor ou indicar qualquer tipo de **PLANO** para realizar os desejos expressos tão vagamente. *A riqueza não vem só porque você deseja.* A riqueza só vem com planos, sustentados por desejos determinados, colocados em prática com constante **PERSISTÊNCIA**.

Como desenvolver persistência

Há quatro passos simples que levam ao hábito da **PERSISTÊNCIA**. Eles não exigem muita inteligência, qualquer tipo de educação específica nem muito tempo ou esforço. Os passos necessários são:

1. Um propósito definido, apoiado por um desejo ardente de realização.

2. Um plano definido, expresso em ações contínuas.

3. Uma mente bem fechada contra todas as influências negativas e desanimadoras, inclusive as sugestões de parentes, amigos e conhecidos.

4. Uma aliança amigável com uma ou mais pessoas que darão o incentivo necessário para que se possa seguir adiante com os planos e propósitos.

Esses quatro passos são essenciais para o sucesso em todas as esferas da vida. Todo o propósito desta filosofia é permitir que se possa transformar esses passos em *hábitos*.

Esses são os passos pelos quais podemos controlar o nosso destino financeiro.

São os passos que levam à liberdade e independência de pensamento.

São os passos que levam à riqueza, em pequenas ou grandes quantidades.

São os passos que levam ao poder, à fama e ao reconhecimento mundial.

São os passos que garantem oportunidades favoráveis.

São os passos que convertem sonhos em realidades palpáveis.

Eles também levam ao controle do **MEDO**, do **DESÂNIMO** e da **INDIFERENÇA**.

Há uma recompensa magnífica para todos que aprendem a dar esses quatro passos. É o privilégio de escrever a própria história e fazer a vida render o preço que for pedido.

> **A maioria das pessoas conquistou a maior das suas realizações dando apenas um passo além do seu maior fracasso.**
>
> Napoleon Hill

Persistência na prática

1. Como você pode aumentar sua força de vontade e criar impulso para realizar seus objetivos?

2. Como você reage diante de obstáculos?

3. O que você pode fazer para transformar suas reações negativas em passos positivos que gerem persistência?

4. Ao olhar para os obstáculos que se colocam entre você e os seus objetivos, como você pode tornar possível o impossível?

5. Se "todo fracasso traz consigo a semente de um benefício equivalente", o que pode ser aprendido com os fracassos que você teve até agora?

O PODER DO MASTERMIND

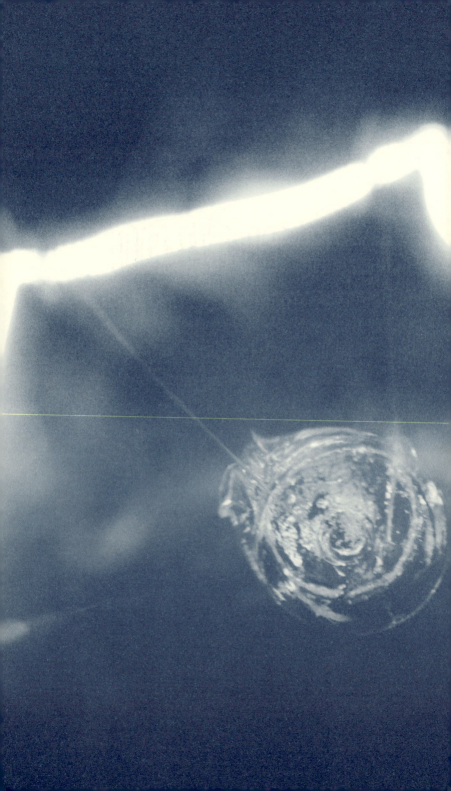

O PODER DO MASTERMIND

A força motriz

Para conseguir acumular riquezas, o poder é essencial.

Planos são inertes e inúteis se não tiverem poder suficiente para serem traduzidos em ações. Este capítulo descreverá o método pelo qual um indivíduo pode conquistar e aplicar seu poder.

Poder pode ser definido como "um conhecimento organizado e direcionado com inteligência". Poder, da forma como o termo é usado aqui, refere-se ao esforço organizado, suficiente para permitir que um indivíduo transmute seu desejo em um equivalente financeiro. O esforço organizado é produzido pela coordenação de esforços de duas ou mais pessoas que trabalham por um propósito definido, em um espírito de harmonia.

É preciso energia para acumular dinheiro! É preciso energia para manter o dinheiro depois de conseguir acumular!

Vamos conferir como é possível gerar essa energia. Se o poder é um "conhecimento organizado", vamos examinar as fontes de conhecimento:

1. INFINITA INTELIGÊNCIA. Esta fonte de conhecimento pode ser acessada por meio da fé e da concentração, com a ajuda da imaginação criativa.

2. EXPERIÊNCIA ACUMULADA. A experiência acumulada do homem (ou a parte que foi organizada e registrada) pode ser encontrada em qualquer biblioteca pública bem equipada. Uma parte importante dessa experiência acumulada é ensinada em escolas e faculdades, onde ela é classificada e organizada.

3. EXPERIMENTAÇÃO E PESQUISA. No campo da ciência, e em praticamente todas as áreas da vida, as pessoas coletam, classificam e organizam novos fatos todos os dias. Essa é a fonte à qual devemos recorrer quando não houver conhecimento disponível por meio de "experiência acumulada". Aqui também a imaginação criativa deve ser usada com frequência.

O conhecimento pode ser adquirido de qualquer uma das fontes mencionadas. Ele pode ser convertido em **PODER** se for organizado na forma de **PLANOS** definidos, que deverão ser expressos em termos de **AÇÃO**.

Examinando as três grandes fontes de conhecimento, é possível ver de imediato a dificuldade que um indivíduo teria se dependesse apenas dos próprios esforços para acumular conhecimentos e expressá-los na forma de planos definidos que se refletem em **AÇÕES**. Se os planos forem abrangentes, contemplando um amplo território, o indivíduo geralmente deve induzir outras pessoas a cooperar com ele, antes de poder introduzir nelas o elemento de **PODER** necessário.

Conquistando poder com o MasterMind

O MasterMind pode ser definido como "coordenação de conhecimento e esforços, em um espírito de harmonia, entre duas ou mais pessoas, para a realização de um propósito definido".

Quem me chamou a atenção para o princípio do MasterMind pela primeira vez foi Andrew Carnegie, há mais de 25 anos. A descoberta desse princípio motivou a escolha do trabalho da minha vida.

O grupo de MasterMind de Carnegie era composto de aproximadamente cinquenta homens, dos quais ele se cercava com o **PROPÓSITO DEFINIDO** de produzir e comercializar aço. Ele atribuía toda a sua fortuna ao **PODER** que havia acumulado por meio do MasterMind.

Analise a história de qualquer pessoa que acumulou grandes fortunas e de muitas pessoas que acumularam fortunas modestas e você verá que elas aplicaram, consciente ou inconscientemente, o princípio do MasterMind.

Não se pode acumular grande poder por meio de qualquer outro princípio.

É bem conhecido o fato de que um conjunto de baterias elétricas gera mais energia do que uma única bateria. Também é bem sabido que uma única bateria gerará energia proporcionalmente ao número e capacidade das células que ela contém.

O cérebro funciona de forma parecida. Isso explica o fato de que algumas células cerebrais são mais eficientes do que outras, o que leva a esta informação importante: um conjunto de cérebros coordenados (ou conectados) em um espírito de harmonia gerará mais

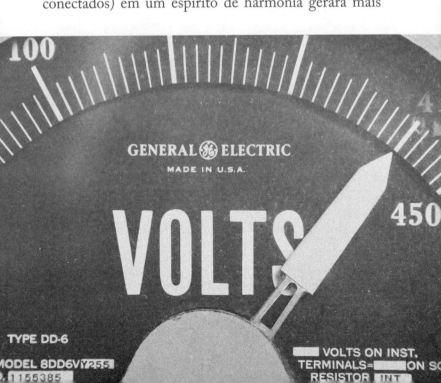

energia mental do que um único cérebro, assim como um conjunto de baterias elétricas gerará mais energia do que uma única bateria.

Com essa metáfora, fica óbvio que o princípio do MasterMind contém o segredo do poder exercido por homens que se cercaram de outros homens inteligentes.

Segue-se, portanto, outra afirmação que permitirá compreender o princípio do MasterMind: quando um grupo de cérebros individuais se coordena e funciona em harmonia, o aumento da energia criado por essa aliança fica disponível para todos os cérebros individuais daquele grupo.

É fato bem conhecido que Henry Ford começou a carreira lutando contra as limitações da pobreza, o analfabetismo e a ignorância. É fato igualmente conhecido que, dentro de um período de tempo inconcebivelmente curto de dez anos, Ford tenha superado essas três limitações, e que em um período de 25 anos ele tenha conseguido se tornar um dos homens mais ricos dos Estados Unidos. Soma-se a isso o fato de que os passos mais rápidos de Ford ficaram famosos a partir do momento em que ele se tornou amigo pessoal de Thomas A. Edison. Sabendo disso, você passará a entender a influência que uma mente pode exercer sobre outra. Dê um passo adiante e considere que as realizações mais notáveis de Ford começaram a partir do momento em que ele conheceu Harvey Firestone, John Burroughs e Luther Burban (todos eles homens de grande capacidade mental), e você terá ainda mais evidências de que o poder é gerado a partir da aliança amigável entre mentes.

Há pouca ou nenhuma dúvida de que Henry Ford seja um dos homens mais bem informados do mundo dos negócios e da indústria. Sua riqueza é indiscutível. Analise quem são os amigos íntimos de Ford, alguns dos quais já foram mencionados, e você estará pronto para entender a seguinte afirmação:

> Os homens assumem a natureza, os hábitos e o poder de pensamento daqueles com quem se associam em um espírito de simpatia e harmonia.

Henry Ford venceu a pobreza, o analfabetismo e a ignorância ao se aliar com grandes mentes, cujas vibrações de pensamento ele absorveu na própria mente.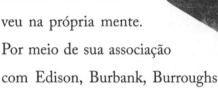
Por meio de sua associação com Edison, Burbank, Burroughs e Firestone, Ford agregou à sua mente o poder, a essência da inteligência, da experiência e do conhecimento desses quatro homens. Além disso, ele se apropriou e fez uso do princípio do MasterMind, usando os métodos e procedimentos descritos neste livro.

O princípio está à sua disposição!

Pense nas realizações de Mahatma Gandhi. Talvez a maioria das pessoas que já tenha ouvido falar em Gandhi o veja apenas como um homenzinho excêntrico que andava por aí usando uma fantasia e causando problemas para o governo britânico.

Thomas Edison, John Burroughs e Henry Ford (por volta de 1914)

Na verdade, Gandhi não era nada excêntrico, mas, sim, o homem mais poderoso que houve (segundo seu número de seguidores e a fé que eles tinham em seu líder). Ele foi, provavelmente, o homem mais poderoso que já existiu. Seu poder é passivo, mas é real.

Vamos analisar o método que o permitiu conquistar seu poder estupendo. Tal método pode ser explicado em poucas palavras. Ele chegou ao poder ao induzir duzentos milhões de pessoas a se coordenarem, de cabeça e coração, em um espírito de harmonia, por um propósito definido.

Resumidamente, Gandhi realizou um milagre, pois, sim, é um milagre conseguir induzir — e não forçar — duzentos milhões de pessoas a cooperar em um espírito de harmonia, por um período indefinido. Se você duvida que isso é um milagre, tente induzir duas pessoas a cooperar em um espírito de harmonia por *qualquer período de tempo*.

Qualquer um que administre um negócio sabe como é difícil fazer com que os funcionários trabalhem juntos em um espírito que remotamente se assemelhe à harmonia.

A lista das maiores fontes de poder é, como você viu, encabeçada pela infinita inteligência. Quando duas ou mais pessoas se coordenam em um espírito de harmonia e trabalham por um objetivo definido, elas se colocam em uma posição de absorver, por meio dessa aliança, o poder diretamente do repositório universal da inteligência infinita. Essa é a maior de todas as fontes de poder. É a fonte à qual os gênios recorrem. É a fonte à qual todos os grandes líderes se voltam (de forma consciente ou não).

As outras duas maiores fontes de conhecimento das quais se pode obter o conhecimento necessário para acumular poder não são mais confiáveis do que os cinco

Modelo T Ford de 1921, lustrado com acabamento espelhado, Washington, DC (por volta de 1938)

> **Os homens assumem a natureza, os hábitos e o poder de pensamento daqueles com quem se associam em um espírito de simpatia e harmonia.**

sentidos. Os sentidos não são sempre confiáveis. A inteligência infinita não erra.

O dinheiro é tímido e esquivo, como uma donzela dos velhos tempos. Ele deve ser cortejado e conquistado por métodos não muito diferentes dos que são usados por um amante determinado na tentativa de conquistar a garota que deseja. E, por mais que pareça coincidência, o poder usado para "cortejar" o dinheiro não é muito diferente do que é usado para cortejar uma donzela. Esse poder, quando usado devidamente na busca pelo dinheiro, deve ser aliado à fé e ao desejo. Ele deve ser

aliado à persistência. E deve ser aplicado com um plano, e esse plano deve ser colocado em prática.

Quando o dinheiro vem em quantidades chamadas de "dinheiro graúdo", ele flui na direção de quem acumula, assim como a água corre para baixo. Existe uma grande corrente imperceptível de poder, que pode ser comparada a um rio, exceto que um lado flui em uma direção, levando consigo todos que entram nesse lado da corrente, para a frente e para cima, rumo à riqueza, enquanto o outro lado flui na direção contrária, levando consigo todos os que têm o azar de entrar nele (e não conseguem se desvencilhar dele), para baixo, rumo à miséria e à pobreza.

Todas as pessoas que acumularam grandes fortunas reconheceram a existência dessa corrente da vida. Ela é o próprio processo de pensamento. As emoções positivas de pensamento se formam no lado da corrente que leva à riqueza. As emoções negativas se formam do lado que leva à pobreza.

A pobreza e a riqueza podem trocar de lugar. A quebra da Bolsa em 1929 ensinou essa verdade ao mundo, embora o mundo não vá se lembrar da lição por muito

Multidão se reúne em volta da Bolsa de Valores de Nova York após o colapso de 1929

tempo. A pobreza pode assumir, e geralmente assume, o lugar da riqueza. Quando a riqueza assume o lugar da pobreza, a mudança geralmente é resultado de planos bem concebidos e executados cuidadosamente. A pobreza não precisa de planos. Ela não precisa de ajuda, porque é atrevida e implacável. A riqueza é tímida. Ela precisa ser "atraída".

Qualquer um pode desejar a riqueza, e a maioria das pessoas deseja, mas apenas algumas sabem que um plano definido, aliado a um *desejo ardente* por riqueza, é a única maneira segura de acumular riqueza.

A estrada para o sucesso nunca está abarrotada no topo.

Napoleon Hill

O MasterMind na prática

1. Se os melhores planos são inúteis caso não sejam colocados em prática, como você pode agir para atingir seus objetivos?

2. Como você pode explorar o seu poder para tomar as ações necessárias?

3. Sabendo quais resultados duas ou mais pessoas podem conseguir ao reunir seus conhecimentos, com quem você pode se associar?

4. Entendendo a relação entre emoções positivas e acumulação de riqueza, que emoções negativas o estão impedindo de conquistar riqueza e sucesso?

5. Como você pode criar emoções mais positivas para conquistar o sucesso?

5

OS FANTASMAS DO MEDO

OS FANTASMAS DO MEDO

Como vencer os cinco fantasmas do medo

O objetivo deste capítulo é chamar a atenção para as causas e a cura dos seis medos básicos. Antes que possamos dominar qualquer inimigo, precisamos conhecer seu nome, seus hábitos, seu hábitat. Ao ler, analise-se atentamente e determine se e quais dos medos mais comuns se prenderam a você.

Os seis medos básicos

Existem seis medos básicos que, combinados entre si, podem afligir os seres humanos em algum momento. A maioria das pessoas tem sorte se não sofre de todos. Abaixo, eles estão listados na ordem de frequência em que mais aparecem:

Medo da **POBREZA**
Medo das **CRÍTICAS**
Medo da **DOENÇA**
Medo da **PERDA DE ALGUÉM AMADO**
Medo da **VELHICE**
Medo da **MORTE**

Todos os outros medos são de menor importância e podem ser agrupados sob essas seis rubricas.

Medo da pobreza

Não pode haver meio-termo entre pobreza e riqueza! As duas estradas que levam à pobreza e à riqueza correm em direções opostas. Se você quer ser rico, precisa se recusar a aceitar qualquer situação que leve à pobreza (a palavra "rico" é usada aqui em sentido mais amplo, podendo ser riqueza financeira, espiritual, mental e de bens materiais). O ponto de partida do caminho que leva à riqueza é o *desejo*. No Capítulo 1, você recebeu instruções completas para usar o dinheiro adequadamente. Neste capítulo sobre o **MEDO**, você encontrará as instruções completas para preparar a sua mente para aplicar o *desejo* de maneira prática.

O medo da pobreza é, sem dúvidas, o mais destrutivo de todos os seis medos. Ele foi colocado no topo da lista porque é o mais difícil de controlar. É preciso muita coragem para dizer a verdade sobre esse medo, e ainda mais coragem para aceitar a verdade que foi dita. O medo da pobreza surge da tendência inerente do homem de *se aproveitar economicamente dos seus semelhantes*. Quase todos os animais inferiores ao homem são motivados por instinto, mas sua capacidade de "pensar" é limitada, por isso, eles se atacam fisicamente. O homem, com sua intuição mais aguçada, capacidade de pensar e raciocinar, não devora seus iguais fisicamente, mas se satisfaz "devorando-os" **financeiramente**. O homem é tão ganancioso que foram decretadas todas as leis imagináveis para protegê-lo dos seus semelhantes.

A obsessão do homem pelo dinheiro, e as dificuldades que advêm da falta dele, explica por que o medo da pobreza é o primeiro da lista.

Medo das críticas

Não se pode dizer com certeza quantos homens originalmente passaram por esse medo, mas uma coisa é certa: ele carrega em si uma forma altamente desenvolvida. Alguns acreditam que esse medo surgiu por volta da época em que a política se tornou uma "profissão".

O medo das críticas rouba a iniciativa das pessoas, destrói o poder da imaginação, limita a individualidade, acaba com a autoconfiança e causa danos de centenas de outras formas. Os pais às vezes cometem danos irreparáveis ao criticar os filhos. A mãe de um dos meus amigos de infância costumava puni-lo quase diariamente com um chicote, sempre encerrando o trabalho com a frase: "Você vai acabar na penitenciária antes dos vinte anos". Ele foi enviado ao reformatório aos dezessete.

A crítica é uma forma de serviço que todo mundo já recebeu em demasia. Todos têm um estoque acumulado de críticas, que receberam sem custo, solicitadas ou não. Nossos parentes mais próximos geralmente são os piores ofensores. Deveria ser considerado crime (na verdade, é um crime da pior natureza) quando um pai desenvolve complexos de inferioridade na cabeça de uma criança, por meio de críticas desnecessárias. Os gestores que entendem a natureza humana conseguem obter o melhor que há em cada pessoa não pela crítica, mas com sugestões construtivas. Os pais podem conseguir os mesmos resultados com seus filhos. As críticas plantarão o **MEDO** no coração humano, ou o ressentimento, mas não farão nada para inspirar amor ou afeição.

Medo da doença

Esse medo pode ser atribuído a uma herança tanto física quanto social. Ele está intimamente ligado, na sua origem, às causas do medo da velhice e do medo da morte, porque ele nos leva às fronteiras de "mundos terríveis" que os homens desconhecem, mas sobre os quais aprenderam histórias horríveis. Há também uma opinião de certa forma generalizada de que alguns indivíduos inescrupulosos que atuam no ramo da "saúde" deram sua grande contribuição para manter vivo o medo da doença.

Médicos mandam pacientes mudar de clima por causa da saúde por ser necessária uma mudança de "atitude mental". A semente do medo da doença mora na mente de cada um. O medo, a preocupação, o desânimo, decepções no amor e nos negócios fazem com que essa semente germine e cresça. A recente crise mundial manteve os médicos bem ocupados, porque toda forma de pensamento negativo pode causar doença.

Decepções nos negócios e no amor ficam no topo da lista das causas do medo da doença. Certo jovem sofreu uma decepção no amor que acabou levando-o ao hospital. Ele ficou por meses entre a vida e a morte. Um especialista em terapia da sugestão foi chamado. O especialista trocou as enfermeiras, colocando-o sob os cuidados de uma *jovem muito charmosa* que começou (mediante um acordo com o médico) a fingir sentir afeto por ele já no primeiro dia de trabalho. Dentro de três semanas, o paciente recebeu alta do hospital, ainda sofrendo, mas de uma doença completamente diferente. **ELE ESTAVA APAIXONADO**. O remédio começou como uma farsa, mas mais tarde ele e a enfermeira se casaram.

Medo da perda do amor

O ciúme, e outras formas similares de demência precoce, surge do medo hereditário que o homem tem de perder o amor de alguém. Esse é o medo mais doloroso de todos. Ele provavelmente causa mais destruição no corpo e na mente do que qualquer outro medo básico, pois geralmente leva à insanidade permanente.

O medo da perda do amor provavelmente remonta à Idade da Pedra, quando os homens roubavam as mulheres fazendo uso da força bruta. Eles continuaram roubando as fêmeas, mas suas técnicas mudaram. Hoje, em vez da força física, eles usam a persuasão, a promessa de roupas bonitas, carros e outras iscas muito mais efetivas. Os hábitos dos homens são os mesmos desde o surgimento da civilização, mas são expressos de formas diferentes.

Uma análise criteriosa demonstrou que as mulheres são mais suscetíveis a esse medo do que os homens. Esse fato pode ser explicado facilmente. As mulheres aprenderam, por experiência própria, que os homens são polígamos por natureza, que não se pode confiar neles com as rivais por perto.

Medo da velhice

Em essência, esse medo cresce a partir de duas fontes. Primeiro, da ideia de que a velhice pode trazer consigo a pobreza, quando não pudermos mais trabalhar. Segundo, e de longe a fonte mais comum, de ensinamentos falsos e cruéis do passado que foram muito bem misturados ao "fogo e ao enxofre" e outros terrores astutamente pensados para escravizar o homem por meio do medo.

No medo da velhice, as pessoas têm dois excelentes motivos para apreensão — um que nasce a partir da sua falta de confiança em seus semelhantes, que podem se apossar de quaisquer bens materiais que elas possuam; e outro que surge de terríveis imagens do além, que foram plantadas em suas mentes por meio de uma herança social antes mesmo que pudessem tomar consciência da própria mente.

A possibilidade da doença, que é mais comum à medida que as pessoas envelhecem, também é uma causa que contribui com o medo comum da velhice. O erotismo também entra nas causas do medo da velhice, pois nenhum homem aprecia a ideia de perder o apelo sexual.

A causa mais comum do medo da velhice está associada à possibilidade de pobreza. "Asilo" não é uma palavra bonita. Ela provoca calafrios em toda pessoa que se vê diante da possibilidade de ter que passar seus anos de declínio em um local pobre.

Outra causa que contribui com o medo da velhice é a possibilidade da perda de liberdade e da independência, pois a velhice pode trazer consigo a perda de liberdades tanto físicas quanto econômicas.

Medo da morte

Para alguns, esse é o mais cruel de todos os medos. O motivo é óbvio. O sofrimento terrível associado à ideia da morte, na maioria dos casos, pode ser atribuído diretamente ao fanatismo religioso. Os ditos "pagãos" têm menos medo da morte do que os mais "civilizados". Por centenas de milhões de anos, o homem se faz estas perguntas ainda sem resposta: de onde vim? Para onde vou?

Na verdade, **NINGUÉM SABE**, e nunca ninguém soube, como são o céu e o inferno, e ninguém nem mesmo sabe se tais lugares de fato existem. O próprio desconhecimento abre as portas da mente humana para que charlatães possam entrar e controlar a mente com seu estoque de truques e vários outros tipos de fraudes e embustes de fé.

O medo é inútil. A morte virá, não importa o que se possa pensar sobre ela. Aceite-a como uma necessidade e transmita esse pensamento para a sua mente. A morte só pode ser uma necessidade, ou não aconteceria. Talvez ela não seja tão ruim quanto tenha sido retratada.

Todo o mundo é constituído de apenas duas coisas, *energia* e *matéria*. Na física elementar, aprendemos que nem a matéria nem a energia (as duas únicas realidades conhecidas ao homem) podem ser criadas ou destruídas. Tanto a matéria quanto a energia podem ser transformadas, mas nenhuma delas pode ser destruída.

A vida é energia, não há dúvida alguma. Se nem a energia nem a matéria podem ser destruídas, é claro que a vida não pode ser destruída. A vida, como outras formas de energia, pode passar por diversos processos

de transição ou mudança, mas não pode ser destruída. A morte é uma mera transição.

Se a morte não passa de uma mudança ou transição, então não há nada após a morte além de um sono longo, eterno e tranquilo, e não há nada a temer no sono. Pensando assim, você pode se livrar para sempre do medo da morte.

Preocupação

A preocupação é um estado mental baseado no medo. Ela trabalha devagar, mas com persistência. Ela é traiçoeira e sutil. Passo a passo, vai penetrando até conseguir paralisar a capacidade de raciocínio, destruindo a autoconfiança e a iniciativa. A preocupação é uma forma de medo constante causado pela indecisão, logo, é um estado mental que pode ser controlado.

Acabe com o hábito da preocupação, em todas as suas formas, tomando de uma vez por todas a decisão de acreditar que *nada do que a vida tem para oferecer vale o preço da preocupação.* Essa decisão trará equilíbrio, tranquilidade e calma, que, por sua vez, trarão a felicidade.

Uma pessoa cuja mente está cheia de temores não apenas destrói as próprias chances de agir de forma inteligente, mas também transmite essas vibrações negativas para as mentes de todos com quem tem contato e destrói, também, as chances deles.

A sua missão na vida é, supostamente, ter êxito. Para ter êxito na vida, você precisa encontrar a tranquilidade, suprir as necessidades materiais da vida e, acima de tudo, conquistar a **FELICIDADE**. Todas essas evidências de sucesso começam na forma de impulsos de pensamento.

Você pode controlar a sua mente: você tem o poder de alimentá-la com os impulsos de pensamento da sua escolha. Com esse privilégio, vem também a responsabilidade de usá-la de forma construtiva. Você é o mestre do seu próprio destino na Terra, e isso é tão certo quanto o seu poder de controlar seus pensamentos. Você pode influenciar, direta ou indiretamente, e, consequentemente, controlar o seu ambiente, transformando a vida naquilo que você quer que ela seja — ou pode se negar a exercer esse privilégio que é seu, de construir a vida que quer, lançando-se sobre o mar aberto das "circunstâncias", no qual será jogado para lá e para cá, como uma fagulha nas ondas do oceano.

O sétimo medo básico

Além dos seis medos básicos, há outro mal do qual as pessoas sofrem. Ele constitui uma terra fértil em que as sementes do fracasso crescem em abundância. É tão sutil que sua presença não é nem notada. Por falta de um nome melhor, vamos chamar esse mal de **SUSCETIBILIDADE ÀS INFLUÊNCIAS NEGATIVAS**.

Você pode tranquilamente se proteger contra salteadores de estrada, porque a lei estabelece uma cooperação organizada em seu benefício, mas o sétimo medo básico é mais difícil de dominar, porque ele ataca quando não estamos cientes da sua presença, quando estamos dormindo e enquanto estamos acordados. Além disso, sua arma é intangível, porque consiste simplesmente em um **ESTADO MENTAL**. Esse mal é tão perigoso porque ataca de formas infinitamente diversas. Às vezes ele entra na mente por meio de palavras bem-intencionadas de nossos próprios familiares. Outras vezes, cresce de dentro, pela nossa própria atitude mental. Sempre tão letal quanto um veneno, embora não possa matar tão rápido.

Como se proteger contra as influências negativas

Para se proteger contra as influências negativa, sejam as criadas por você, sejam resultantes das ações de pessoas negativas à sua volta, reconheça que você tem **FORÇA DE VONTADE**, e faça uso constante dessa força, até conseguir construir na sua mente uma parede de imunidade contra qualquer influência negativa.

◇ Reconheça o fato de que você e todos os outros seres humanos são, por natureza, preguiçosos, indiferentes e suscetíveis a todas as sugestões que vão ao encontro de suas fraquezas.

◇ Reconheça que você é, por natureza, suscetível a todos os seis medos básicos, e crie hábitos com o propósito de combater esses medos.

◇ Reconheça que as influências negativas costumam afetá-lo por meio do seu subconsciente, portanto, são difíceis de perceber, e mantenha a mente fechada para qualquer pessoa que o deprima ou desanime de qualquer forma.

◇ Limpe o seu armário de remédios, jogue fora todos os seus frascos de comprimidos e pare de favorecer o aparecimento de gripes, dores, males e doenças imaginárias.

◇ Busque intencionalmente estar na companhia de pessoas que o influenciam a **PENSAR E AGIR POR SI PRÓPRIO**.

◇ Não **FUJA** de problemas, eles têm uma tendência de não decepcionar.

Sem dúvidas, a fraqueza mais comum de todos os seres humanos é o hábito de deixar a mente aberta à influência de outras pessoas. Essa fraqueza é ainda mais prejudicial porque a maioria das pessoas não reconhece que é amaldiçoada por ela, e muitas das que reconhecem se negam a corrigir o mal, de forma que ele acaba se tornando uma parte incontrolável dos seus hábitos diários.

Você só tem **CONTROLE ABSOLUTO** sobre uma coisa: seus pensamentos. Esse é o mais significativo e inspirador de todos os fatos conhecidos ao homem. Ele reflete a natureza divina do homem. Essa prerrogativa divina é o único meio pelo qual você pode controlar o próprio destino. Se você não conseguir controlar a própria mente, tenha certeza de que não controlará mais nada.

O controle da mente é o resultado da autodisciplina e do hábito. Ou você controla sua mente, ou ela controla você. Não existe meio-termo. O método mais prático para controlar a mente é o hábito de mantê-la ocupada com um propósito definito, respaldado por um plano definido. Estude a história de qualquer pessoa que tenha conquistado sucesso notável e você verá que essa pessoa mantém a própria mente sob controle e, além disso, exercita esse controle e o usa para chegar aos seus objetivos. Sem esse controle, o sucesso não é possível.

Álibis famosos

As pessoas que fracassam na vida têm um traço distintivo em comum. Elas conhecem bem *o motivo para o fracasso* e têm aquilo que acreditam ser álibis infalíveis para explicar a própria ausência de realizações.

Alguns dos álibis são inteligentes e alguns poucos são justificáveis por fatos. Mas álibis não podem ser usados para justificar o dinheiro. O mundo só quer saber de uma coisa: **VOCÊ ALCANÇOU O SUCESSO**?

Um analista de caráter compilou a lista dos álibis mais usados. Ao ler a lista, examine-se com atenção e veja quantos desses álibis você já usou. Lembre-se, também, de que a filosofia apresentada neste livro torna todos esses álibis obsoletos.

OS CINCO PRINCÍPIOS ESSENCIAIS DE NAPOLEON HILL

SE eu tivesse dinheiro...

SE eu tivesse formação...

SE eu conseguisse um emprego...

SE eu tivesse saúde...

SE eu tivesse tempo...

SE as coisas estivessem melhores...

SE as pessoas me entendessem...

SE eu conhecesse "as pessoas certas"...

SE eu tivesse o talento que algumas pessoas têm...

SE eu tivesse liberdade...

SE eu tivesse a personalidade de algumas pessoas...

SE eu fosse bonito...

SE as pessoas não fossem tão burras...

SE eu tivesse a coragem de me ver como realmente sou...

O único álibi que importa é o último. Se todos tivéssemos coragem e acreditássemos em nós mesmos, poderíamos criar a vida com que sonhamos. Para concluir esse pensamento: "Se eu tivesse a coragem de me ver como realmente sou, *eu descobriria o que há de errado comigo e corrigiria*, para ter a chance de aprender com os meus erros, com a minha experiência e com a experiência dos outros, pois sei que há algo de **ERRADO** comigo, ou então eu estaria hoje **ONDE EU ESTARIA** se tivesse passado mais tempo analisando as minhas fraquezas e menos tempo criando álibis para encobri-las".

Criar álibis que podem justificar os fracassos é um passatempo nacional. O hábito é tão antigo quanto a raça humana, e é *fatal para o sucesso!* Por que as pessoas se apegam aos seus álibis de estimação? A resposta é óbvia. Elas defendem seus álibis porque são elas que os criam! Nossos álibis são filhos da nossa própria imaginação. É da natureza humana defender as próprias criações.

Criar hábitos é um hábito profundamente arraigado. É difícil mudar de hábito, sobretudo quando eles oferecem as desculpas para aquilo que fazemos. No entanto, com todos os princípios apresentados aqui, a recompensa vale o esforço. Você dará início e se deixará convencer?

A vida é um jogo de damas, e o jogador adversário é o TEMPO. Se você hesitar para se mover, ou deixar de se mover imediatamente, seus jogadores serão varridos para fora do tabuleiro pelo TEMPO. Você está jogando contra um parceiro que não tolera a INDECISÃO!

Napoleon Hill

Todas as conquistas, todas as riquezas já conquistadas começam com uma ideia.

Napoleon Hill

Os fantasmas do medo na prática...

1. Quais dos fantasmas do medo mais ameaçam destruir qualquer um dos seus desejos ou planos?

2. Como você pode impedir seu fantasma do medo de ter sucesso em usar sua mente?

3. Sabendo que a indecisão é a semente do medo, como você pode seguir em frente com confiança nas suas escolhas?

4. Como você pode atingir o necessário controle do seu estado mental?

5. Sabendo que tanto a riqueza quanto a pobreza são estados mentais, como você define o sucesso e o fracasso? Como você pode viver em um estado mental perpétuo de sucesso?

SOBRE NAPOLEON HILL E A FUNDAÇÃO NAPOLEON HILL

Oliver Napoleon Hill foi um escritor norte-americano de autoajuda. Ele é mais conhecido pelo lançamento original de *Pense e enriqueça* (1937), que está entre os dez livros de autoajuda mais vendidos de todos os tempos. Napoleon Hill morreu aos 87 anos, em 8 de novembro de 1970. Ele acabara de comemorar o seu aniversário, em 26 de outubro. Apesar do que diz uma lenda urbana, ele não morreu na penúria. Havia doado sua fundação e estava vivendo o seu sonho. Você pode ler sua biografia — *Lifetime of Riches* — para saber mais sobre sua família e seus últimos anos. Um de seus filhos é vivo até hoje, assim como vários de seus netos.

Trabalhando em seu nome, a Fundação Napoleon Hill é uma instituição educacional sem fins lucrativos que se dedica a melhorar o mundo em que vivemos.

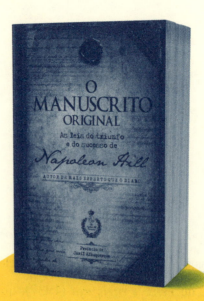

O manuscrito original – As leis do triunfo e do sucesso de Napoleon Hill ensina o que fazer para ser bem-sucedido na vida.

Sucesso é mais do que acumular dinheiro e exige mais do que a mera vontade de chegar lá. Napoleon Hill explica didaticamente como pensar e agir de modo positivo e eficiente, e como conseguir a ajuda dos outros para a realização de objetivos.

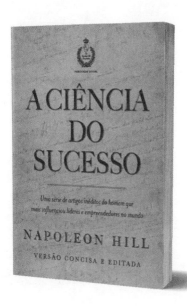

Uma série de artigos inéditos do homem que mais influenciou líderes e empreendedores no mundo. Esses ensaios, que contêm ensinamentos sobre a natureza da prosperidade e como alcançá-la, e oferecem *insights* sobre a popularidade e o estilo envolvente do autor como orador e escritor motivacional, são publicados aqui em forma de livro pela primeira vez.

Sua mente é um talismã secreto. De um lado, é dominado pelas letras AMP (Atitude Mental Positiva) e, de outro, pelas letras AMN (Atitude Mental Negativa). Uma atitude positiva irá, naturalmente, atrair sucesso e prosperidade. A atitude negativa irá roubá-lo de tudo que torna a vida digna de ser vivida. Seu sucesso, saúde, felicidade e riqueza dependem de qual lado você irá usar.

A escada para o triunfo é um excelente resumo dos dezessete pilares da Lei do Triunfo, elaborada pelo pioneiro da literatura de desenvolvimento pessoal.

É um fertilizador de mentes, que fará com que a sua mente funcione como um ímã para ideias brilhantes.

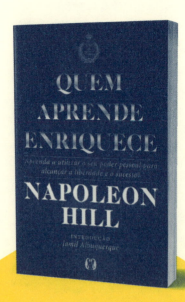

Quem aprende enriquece é uma série de lições sobre o sucesso escrita por Napoleon Hill, as quais são consideradas por muitas pessoas como os princípios mais importantes de Hill e Carnegie. Essas lições podem ser usadas por qualquer indivíduo para obter poder pessoal. À medida que essas lições da Fundação Napoleon Hill forem lidas e, acima de tudo, aplicadas, você começará sua jornada rumo ao sucesso. Comece agora!

Capitão da minha alma, senhor do meu destino é a compilação de três livretos de uma série chamada "Mental Dynamite", cujos originais haviam se perdido e foram redescobertos há pouco pela Fundação Napoleon Hill. Trata-se de uma verdadeira dinamite mental, combinando ensinamentos transmitidos pelo magnata do aço Andrew Carnegie ao jovem Napoleon Hill em 1908, com comentários do autor redigidos três décadas depois, quando já era um especialista em filosofia motivacional.

Saiba como utilizar o poder da persuasão na busca da felicidade e da riqueza. Aprenda mais de 700 condicionadores mentais que vão estimular seus pensamentos criativos e colocá-lo na estrada da riqueza e da felicidade – nos negócios, no amor e em tudo que você faz.

Os textos perdidos de Napoleon Hill o farão encontrar o sucesso definitivo. Napoleon Hill tem inspirado as pessoas a alcançarem o seu melhor há mais de oitenta anos. Ele foi o primeiro e mais famoso autor motivacional de todos os tempos e, de fato, os autores de autoajuda mais bem-sucedidos da atualidade devem muito à sabedoria perspicaz de Hill, incluindo algumas de suas melhores ideias.

THE NAPOLEON HILL FOUNDATION
What the mind can conceive and believe, the mind can achieve

O Grupo MasterMind – Treinamentos de Alta Performance é a única empresa autorizada pela Fundação Napoleon Hill a usar sua metodologia em cursos, palestras, seminários e treinamentos no Brasil e demais países de língua portuguesa.

Mais informações:
www.mastermind.com.br

Livros para mudar o mundo. O seu mundo.

Para conhecer os nossos próximos lançamentos
e títulos disponíveis, acesse:

🌐 www.**citadel**.com.br

f /**citadeleditora**

📷 @**citadeleditora**

🐦 @**citadeleditora**

▶ Citadel – Grupo Editorial

Para mais informações ou dúvidas sobre a obra,
entre em contato conosco por e-mail:

✉ contato@**citadel**.com.br